爱打岔的小鸡

爱打岔的小鸡

文/图：〔美〕大卫·埃兹拉·斯坦

翻译：杨玲玲　彭　懿

北京联合出版公司
Beijing United Publishing Co.,Ltd.

小红鸡该上床睡觉了。

"好了，我的小鸡，"爸爸说，
"该睡觉了，你都准备好了吗？"

"准备好了，爸爸！可是你忘了一件事。"

"什么事？"爸爸问。

"睡前故事！"

"好吧，"爸爸说，"我会讲一个你最喜欢的故事。
不过，今天晚上你不能打岔，行吗？"

"哦，不会。爸爸，我会很乖的。"

亨舍尔和格莱特已经饿坏了。他们在树林深处发现了一座糖果屋。

啃啊，啃啊，啃啊，他们开始吃起这座屋子来了。这时，住在屋子里的

老太婆走了出来，说："多么可爱的孩子啊！怎么不到里面来？"他们正

要跟她进去的时候——

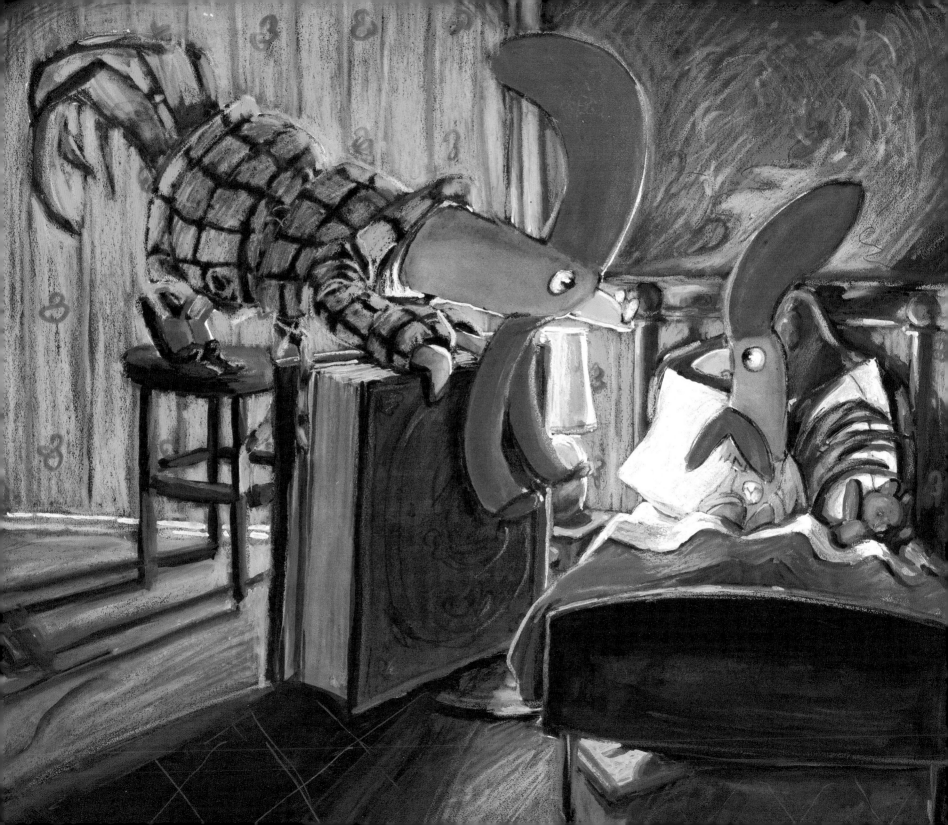

"小鸡。"

"什么事啊，爸爸？"

"你打岔了。你能不把自己扯进来吗？"

"对不起，爸爸。可她真的是一个老巫婆。"

"我知道。不过你能放松一点儿吗？这样你就能睡着了。"

"再讲一个故事吧。我会很乖的！"

"把篮子里的东西送给奶奶去吧。"小红帽的妈妈说。

"不要跑到小路外边去，树林里很危险。"小红帽蹦蹦跳跳地走进了树林深处。不一会儿，她就遇到了一只狼，狼向她道"早安。"她刚要回答狼的时候——

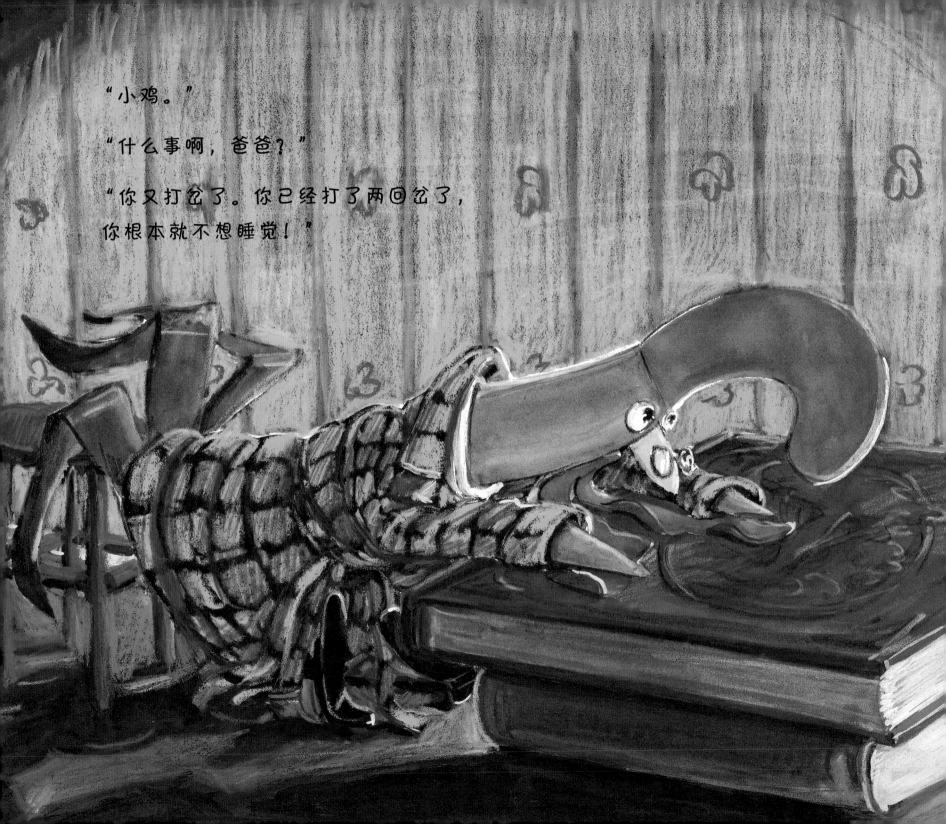

"小鸡。"

"什么事啊，爸爸？"

"你又打岔了。你已经打了两回岔了，
你根本就不想睡觉！"

"我知道了，爸爸！对不起。可他是一条老恶狼！"

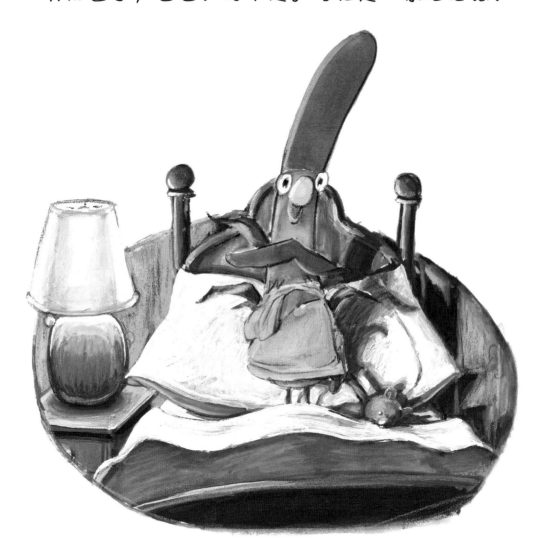

"是的。现在你回到床上去。"

"好的，爸爸。再讲一个小故事吧，我会很乖的！"

四眼天鸡被一颗橡子砸到了脑袋。天要塌了！她想。

她跑去找鹅卢斯、鸭子卢基、小鸡彭尼和农场里的所有动物，刚要警

告他们天要塌了——

"小鸡。"

"什么事啊，爸爸？"

"你又打岔！"

"哦，爸爸。我不能让那只小鸡为一颗橡子烦恼！请再给我讲一个故事吧，我保证我会睡着的。"

"不过，小鸡，"爸爸说，"我们的故事都讲完了。"

"哦，不，爸爸。没有故事我就睡不着！"

"那么，"爸爸打着哈欠说，
"为什么你不能给我讲个故事呢？"

"我来讲故事？"小红鸡说，
"好呀，爸爸！我们开始吧！嗯……"

爸爸的
睡前故事

作者：
小鸡♡

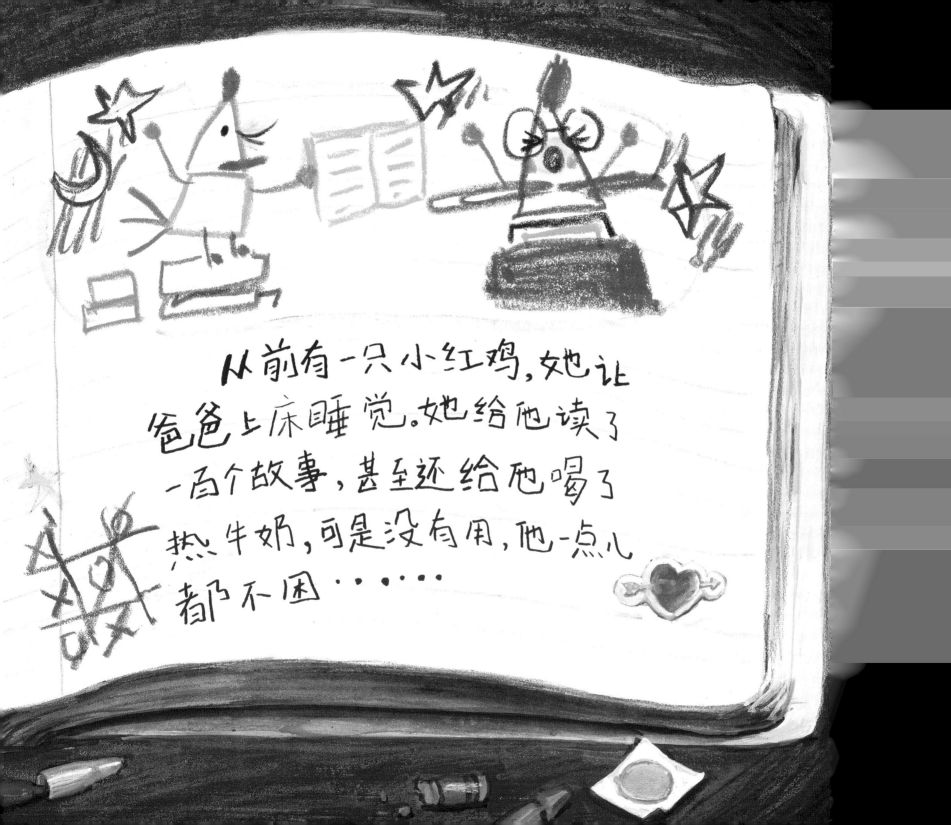

从前有一只小红鸡，她让爸爸上床睡觉。她给他读了一百个故事，甚至还给他喝了热牛奶，可是没有用，他一点儿都不困……

"晚安，爸爸。"

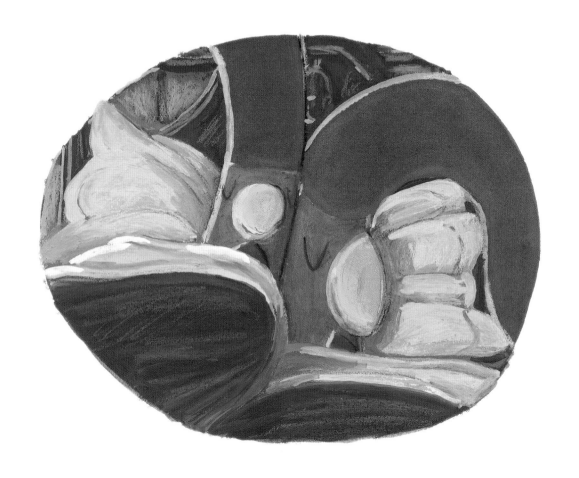

故事结束了。

献给比比

非常感谢丽贝卡、萨拉和安的帮助，把这本书放在了床上。

图书在版编目（CIP）数据

爱打岔的小鸡 ／（美）斯坦文图 ；杨玲玲，彭懿译
. —— 北京 ：北京联合出版公司，2016.1（2017.4重印）
ISBN 978-7-5502-6337-6

Ⅰ．①爱… Ⅱ．①斯… ②杨… ③彭… Ⅲ．①儿童文
学－图画故事－美国－现代 Ⅳ．①I712.85

中国版本图书馆CIP数据核字(2015)第234295号
北京市版权局著作权合同登记号：01-2015-6264

爱打岔的小鸡
（启发精选美国凯迪克大奖绘本）

文/图：〔美〕大卫·埃兹拉·斯坦　翻 译：杨玲玲 彭 懿
选题策划：北京启发世纪图书有限责任公司
台湾麦克股份有限公司
责任编辑：王 巍
特约编辑：林 玲
特约美编：谭 潇

北京联合出版公司
（北京市西城区德外大街83号楼9层 100088）
深圳当纳利印刷有限公司印刷 新华书店经销
字数2千字　889毫米×1194毫米　1/12　印张3$\frac{1}{3}$
2016年1月第1版　2017年4月第3次印刷
ISBN 978-7-5502-6337-6
定价：42.80元